Zéphir l'esclave

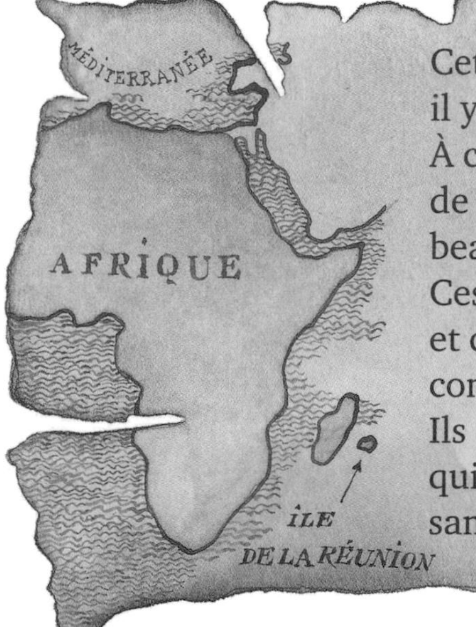

Cette histoire se passe
il y a deux cents ans.
À cette époque, sur l'île
de la Réunion, il y avait
beaucoup d'esclaves.
Ces hommes, ces femmes
et ces enfants étaient achetés
comme des objets.
Ils appartenaient à un maître
qui les faisait travailler dur
sans les payer.

Dépôt légal : octobre 2009
ISBN : 978-2-7470-2773-1
Loi du 16 juillet 1949 sur les publications destinées à la jeunesse.

Zéphir l'esclave

Une histoire écrite par Juliette Mellon
illustrée par Boiry

mes premiers
j'aime lire
bayard poche

Chapitre 1

L'oncle Oscar

Je me réveille. Il fait nuit noire. Par la fenêtre, je vois les étoiles. Quand je les regarde, il me semble qu'elles m'appellent par mon nom : « Zéphir… Zéphir… »

Et alors, j'oublie que je suis esclave.

J’ai envie de suivre les étoiles, de partir loin des plantations* de café, loin des sacs qui pèsent sur mes épaules, loin du fouet du maître. Cette nuit, il fait moins chaud, je respire mieux. Je me retourne sur ma paillasse.

* Plantation : grand terrain où l’on cultive des plantes, comme, dans les pays tropicaux, le café, la banane, le coton…

Tout à coup, je me redresse. Quelque chose ne va pas. Mais quoi ? Je reste assis, l'oreille tendue.

Soudain, je comprends : je n'entends rien. Rien, sauf le chant des grillons et ma respiration. Il manque le souffle de mon père. Où est-il ?

Je me glisse dehors. Là, un murmure me parvient : mon père parle avec quelqu'un. Je connais cette voix. Je ferme les yeux pour mieux écouter. Et puis son nom surgit de ma mémoire : Oscar ! C'est mon oncle, le frère de mon père.

J'avais cinq ans quand mon oncle s'est enfui. Il était esclave, lui aussi. Une nuit, il a disparu. Le maître a envoyé des chasseurs d'hommes à sa poursuite, mais ils ne l'ont jamais rattrapé. La montagne l'a protégé !

Au bout d'une semaine, les hommes ont abandonné les recherches. Le maître a soupiré :

– Et un « marron » de plus ! Ça va finir par faire tout un village !

Les marrons, c'est comme ça que le maître appelle les esclaves qui s'enfuient. Moi, je rêve de les rejoindre, de vivre libre avec eux dans la montagne. Souvent, mon père regarde au loin, et il promet :

– Un jour, je partirai.

Accroupi derrière la case*, j'écoute la voix de l'oncle Oscar. Des bouts de phrases me parviennent : « Cette nuit… très difficile… dangereux… »

Aussitôt, je comprends : ça y est, nous aussi, nous allons nous enfuir ! Mon cœur bat à toute allure.

* Case : maison très simple, faite de terre, de branches, de paille…

Chapitre 2

La case à outils

Quand mon père revient dans la case, je l'attends debout. Je suis prêt. Mais il me regarde et il ordonne :

– Recouche-toi !

Je ne comprends pas, mais j'obéis. Mon père est sévère...

Je m'écroule comme un sac de café jeté à terre. Dans ma tête, j'étais déjà loin de la plantation et du travail forcé... Mais c'était dans ma tête. En vrai, mon père est ressorti de la case.

Tout à coup, une idée me traverse l'esprit. Une idée qui me fait beaucoup plus mal que les coups de fouet du maître : et si mon père avait décidé de partir sans moi ?

Je sais que le chemin pour fuir est dur et dangereux. Peut-être Papa a-t-il peur que je le retarde ? Que je n'y arrive pas ? Peut-être a-t-il décidé de revenir me chercher plus tard ? Sera-t-il encore là quand je me réveillerai, demain ?

Je ne peux plus dormir. Je veux savoir. Plus silencieux qu'un serpent, je me relève. Papa et Oncle Oscar ne doivent pas être loin. Je suis décidé à les suivre, en cachette, s'il le faut.

Tout est calme autour des cases. Petit à petit, je me rapproche du quartier des maîtres. J'avance en me cachant derrière les bananiers. J'ai peur que les chiens m'entendent. S'ils aboient, qu'arrivera-t-il ?

Je commence à désespérer, quand j'aperçois deux silhouettes derrière la case où nos outils sont enfermés pour la nuit.

Ce sont eux ! L'oncle Oscar fait la courte échelle à Papa. Papa cherche à atteindre l'unique fenêtre de la case. Il a besoin d'une machette*, bien sûr. Sinon, une fois dehors, comment fera-t-il pour se frayer un chemin ou tuer du gibier ?

* Machette : grand couteau à lame épaisse qui sert à couper les branches, les fruits, la canne à sucre… On dit aussi un « coupe-coupe ».

Caché derrière mon arbre, j'observe mon père et mon oncle. Papa attrape le bord de la fenêtre, il se hisse. Et, soudain, c'est la catastrophe.

Mon oncle titube sous le poids de Papa et tombe à la renverse. Dans le silence de la nuit, mon oncle étouffe un cri.

Aussitôt, les chiens aboient. Le maître va venir. Que faire ? Je vois mon père disparaître dans la case à outils. Ouf, il a réussi. Mais mon oncle est là, sans cachette possible. Il se colle contre le mur de la case. Déjà, j'entends les chiens se rapprocher. Si mon oncle est repris, il risque la mort, je le sais.

Chapitre 3

Le maître

J'ai peur pour mon oncle. Il ne faut pas que le maître le trouve. Je n'ai pas le choix. Je dois attirer les chiens. Sans plus réfléchir, je cueille plusieurs bananes et je sors de ma cachette. J'ai à peine fait cinq pas que tous les chiens sont autour de moi et, juste derrière eux, le maître !

Il me secoue comme un cocotier :

– Qu'est-ce que tu fais là, toi ? Et qu'est-ce que tu caches dans ton dos ?

Je montre les bananes en bredouillant :

– J'avais faim…

Le maître est furieux. Il m'entraîne avec lui en criant :

– Tu as volé des bananes ! Tu auras le fouet, crois-moi ! Allez, viens.

Je tremble de peur. Si le maître rentre dans ma case, il verra qu'elle est vide… Et il cherchera mon père. Je dois absolument éviter ça.

Je me tourne vers le maître et je lui dis :

– Je peux rentrer tout seul, si vous voulez…

Le maître s'arrête. Il est sûrement pressé de se recoucher… Alors, il me repousse d'une grande claque dans le dos et il dit :

– File, mais demain tu n'échapperas pas à ta punition. Et si tu recommences…

Je déguerpis sans attendre la fin de sa phrase.

Mon oncle et mon père se faufilent dans la case, quelques secondes après moi.

Mon père chuchote :

– Zéphir, tu nous as sauvé la vie… Mais que faisais-tu près de la case à outils ?

Je baisse les yeux :

– Je te suivais. J'avais peur que tu partes sans moi.

Mon père me regarde, il murmure :

– Partir sans toi ?

Il prend mes mains dans les siennes :

– Je ne voulais pas que tu viennes avec nous voler la machette. C'était trop dangereux. Je serais revenu te chercher après. Partir sans toi, ça, je n'y serais jamais arrivé.

Mon père ajoute :
– Allons-y, Zéphir. Nous serons dans les montagnes avant l'aube. Tu marcheras entre Oscar et moi.

En quittant la case, j'ai levé la tête vers les étoiles et j'ai chuchoté :
– J'arrive… je suis libre !

Juliette Mellon est née en 1966 à Bourg-la-Reine. Elle a suivi des études de Lettres et a commencé à écrire pour les enfants lorsqu'elle a eu les siens... Elle vit aujourd'hui à Châteaudun où elle enseigne le français au collège. Même si elle aime autant ses deux métiers, Juliette dit quand même qu'il est plus amusant de raconter des histoires que de faire faire des dictées !

Du même auteur dans Bayard Poche :
Le mensonge de Gaétan (Mes premiers J'aime lire)

Boiry est née en 1948 à Toulon. Elle habite aujourd'hui à Cherbourg, et consacre son temps à l'illustration de livres pour enfants.

De la même illustratrice dans Bayard Poche :
Mystère dans l'escalier (Mes premiers J'aime lire)
C'est la vie, Julie ! – Une nuit au grand magasin – C'est dur d'être un vampire – Noël à tous les étages – L'arbre et le roi – Les treize chats de la sorcière – Dimitri (J'aime lire)

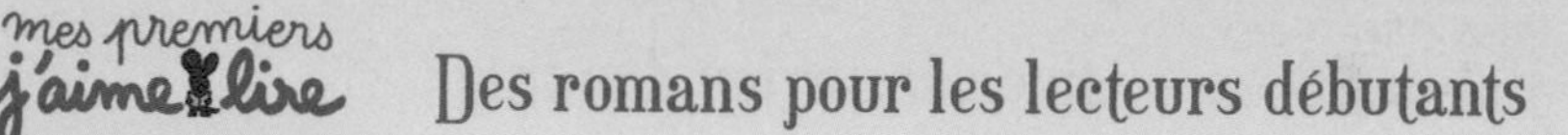

Édition

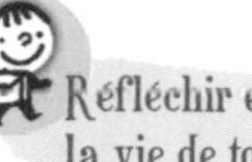

Réfléchir et comprendre la vie de tous les jours

Rire et sourire avec des personnages insolites

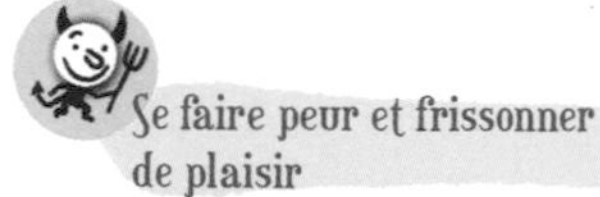

Se faire peur et frissonner de plaisir

Rêver et voyager dans des univers fabuleux

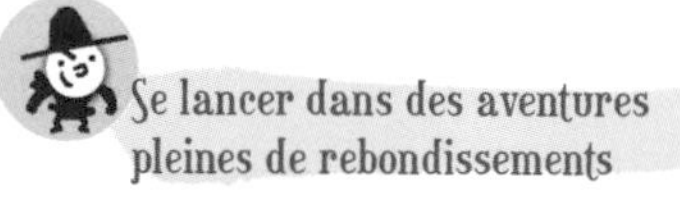

Se lancer dans des aventures pleines de rebondissements